GW00393295

Renata Formoso

ilustrado por

Carolina Coroa

Gael
Que você possa
levar o Brasil sempre
no coração. ♡
Com amor,
Renata Formoso

catavento

Autora
Renata Formoso
Ilustrações
Carolina Coroa
Diagramação e projeto gráfico
Vitor Drumond
Revisão de texto
Mariane Genaro
Impressão
Ipsis

Impresso no Brasil com papel produzido através de fontes responsáveis.

Formoso, Renata.
F726e
Nina vai ao Brasil / Renata Formoso; Ilustrado por Carolina Coroa, Diagramação por Vitor Drumond - EUA: Editora Catavento Books, 2022.
32p. : il.; 20,5cm x 20,5 cm.

ISBN: 979-8-9865057-2-5

1.Literatura infantil. 2.Brasil. 3. Cidades turísticas - Brasil I. Título. II. Ilustrador. III Diagramador.

CDD: 028.5
CDU: 82-93

Elaborada por Bibliotecária Elani Régis de Oliveira Araújo. CRB-3/1467

Para Noah e todas as crianças brasileiras pelo mundo.
Que possam um dia se aventurar por cada canto do nosso Brasil.

Oi! Eu sou a Nina.

Sou brasileira e também sou meio gringa.

Falo português, mas, onde moro, falam outra língua.

Tenho saudades da Vovó Teresa. Faz tempo que ela não vem me visitar.

Vovó, então, me fez um convite:
fazermos uma aventura, só nós duas,
por todas as regiões do Brasil e tudo de lindo que há por lá!

Ao chegar no aeroporto,
quanta emoção!
Minha família estava me esperando.
Que recepção!

Corri para o abraço,
para matar a saudade
e esquentar o coração.

Nossa primeira parada foi em São Paulo.
Cidade grande, arranha-céu e arte.
Comida do mundo todo, gente de toda parte.

Fomos a um teatro na Avenida Paulista,
para assistir a uma peça.
Depois, andamos de metrô até o
colorido Mercadão Municipal.
Comi um pastel de palmito, que estava bom à beça!

No dia seguinte, partimos para a casa da Vovó, em Santos.

Pude sentir de longe aquele cheiro bom de pão de cará!
O bondinho, as muretas, os navios, o Quebra-Mar.
E o maior jardim de orla do planeta!
Sério... Lugar igual, não há.

SAL
MANTE
PIPOCA

O destino seguinte foi muito maneiro.
Adivinha qual foi?
Claro, o Rio de Janeiro!

Subi no Pão de Açúcar,
corri pelo Jardim Botânico
e vi o Cristo Redentor
gigante no Corcovado.

Mas, entre tudo o que fiz no Rio, o que mais gostei foi de fazer castelinhos de areia, comendo biscoito com mate gelado!

Destino seguinte: Porto Alegre. Lá no Sul do país!

Comemos churrasco, bergamotas e passeamos pelo Brique da Redenção. Assistimos ao pôr do Sol no Guaíba e Vovó tomou um monte de chimarrão.

Partimos para Minas Gerais e paramos em BH (be-a-gá).
É assim que chamam Belo Horizonte,
terra do feijão tropeiro e da broa de fubá.

Fizemos um piquenique na Lagoa da Pampulha
e amei experimentar o doce de leite de lá.
Me acabei de comer pão de queijo!
O verdadeiro, só em Minas dá para achar!

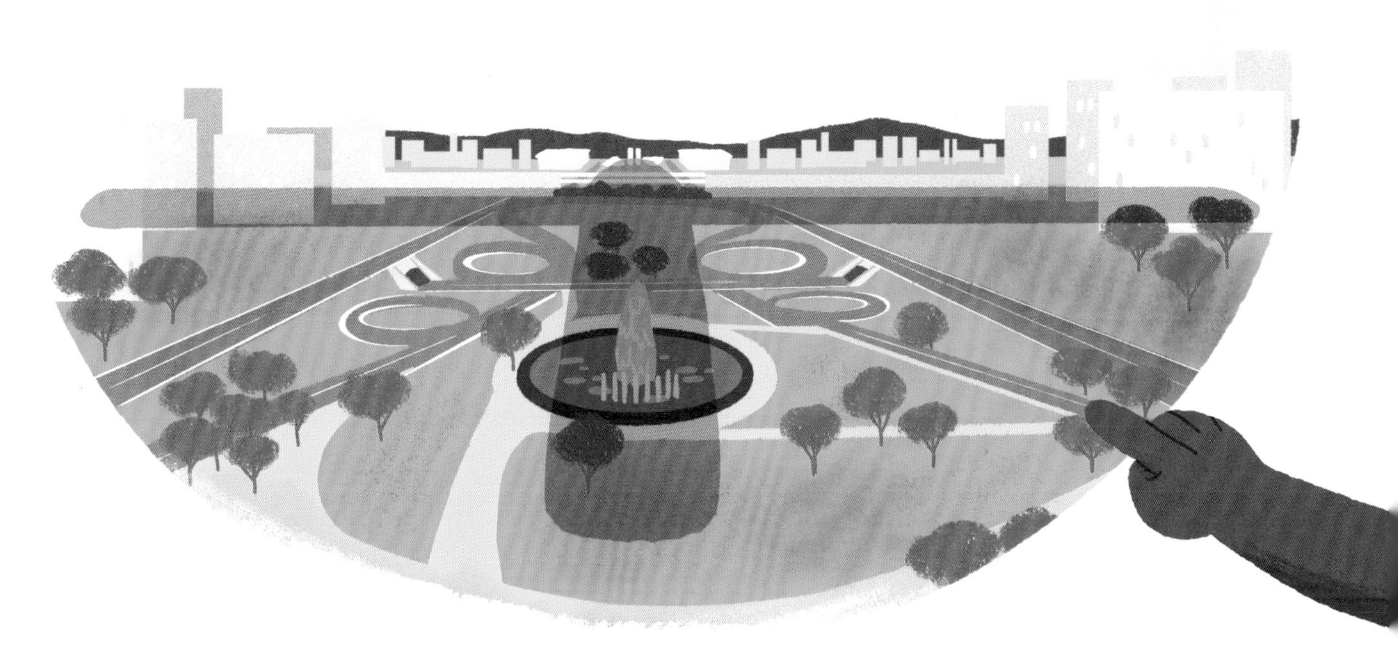

Em seguida, chegamos em Brasília, a capital do Brasil.
Fomos ao Palácio da Alvorada e admiramos o céu no Lago Paranoá.
Ao subir na Torre de TV, sabe o que deu para notar?
Que a cidade parece um avião se preparando para voar.

Chegando em Salvador, senti muito mais calor.
Dei um mergulho no Porto da Barra, joguei capoeira e toquei tambor.

Aprendi sobre a história da Bahia e comi acarajé. Que lugar mais especial!
Ficamos até mais tarde para ver o Olodum tocar no Pelourinho. Foi sen-sa-ci-o-nal!

Voamos para Manaus, onde vi o encontro das águas.

Fui ao Teatro Amazonas
e tomei um delicioso
suco de guaraná.

Depois, fomos de barco conhecer um povo indígena.

Foi demais!!

Amei aprender um pouco sobre a cultura da aldeia,
seus costumes e rituais.

Seguimos, então, para Belém do Pará
e, no almoço, comi um prato bom chamado tacacá.

Passeamos na Estação das Docas,
onde conheci o carimbó, a dança típica da Ilha de Marajó.
Comi açaí com farinha e bolo de macaxeira.
E, cada vez mais, fui aprendendo
como é **maravilhosa** a culinária brasileira.

Partimos para Recife, nossa última e mais longa parada.
Porque lá mora minha prima Manu - tão amada.
Você acredita que ela planejou uma programação
especial para a minha chegada?
Com bolo de rolo e umbuzada,
e um passeio até o Galo da Madrugada.

Manu me levou a um ensaio de maracatu
e tentou me ensinar a tocar alfaia.
Acho até que toquei bem, viu?
Preciso praticar mais a fundo.
Tive a sorte de tocar com a Mestra Joana Cavalcante,
a primeira mestra mulher de maracatu no mundo!

A caminho do aeroporto, a aventura estava quase no fim.
Mas a minha vontade era continuar a viajar!

Fortaleza, Ouro Preto, Floripa, João Pessoa...
Há tanta cidade brasileira que ainda quero visitar!
O Brasil é tão grande e lindo, que merece
um livro inteiro para cada lugar.

Enfim chegou o momento mais difícil: A DESPEDIDA.
Senti um aperto no peito...
Como é triste a hora da partida!
Dei um abraço apertado em Vovó Teresa,
disse "até breve, Vovó querida"
e segui para o avião, sentida.

Foi então que mamãe me lembrou
de como é maluca essa coisa de ida e vinda.
E que, por mais que a hora de dizer tchau seja sofrida,
eu trago todas as pessoas que amo aqui no peito,
por todos os dias da minha vida.

GLOSSÁRIO

À beça: muito; em grande quantidade.

Acarajé: especialidade gastronômica das culinárias africana e afro-brasileira. Trata-se de um bolinho feito de massa de feijão-fradinho, cebola e sal, frito em azeite de dendê.

Alfaia: instrumento musical da família dos membranofones, utilizado principalmente no ritmo do Maracatu, e também usado no Coco e na Ciranda.

Arranha-céu: edifício muito alto, com muitos andares.

Bergamota: como é chamada a tangerina, ou mexerica, no Sul do Brasil.

Bolo de rolo: doce brasileiro feito com camadas de goiabada, típico de Pernambuco.

Capoeira: expressão cultural e esporte afro-brasileiro que mistura arte marcial, dança e música, desenvolvida no Brasil por descendentes dos povos africanos escravizados.

Carimbó: manifestação cultural brasileira de origem afro-indígena, que inclui ritmo musical e gênero de dança de roda, criado no estado do Pará.

Chimarrão: bebida quente de mate servida em uma cuia, bastante popular no Rio Grande do Sul.

Feijão tropeiro: prato tipicamente encontrado em Minas Gerais, feito de feijão, farinha de mandioca, couve, entre outros ingredientes.

Gringo: pessoa que mora em um país, mas não nasceu lá; estrangeiro.

Macaxeira: como é chamada a mandioca ou o aipim no Nordeste do Brasil.

Maneiro: gíria comum no Rio de Janeiro que significa legal, agradável.

Maracatu: ritmo musical, dança e ritual religioso com origem em Pernambuco.

Mate gelado: bebida refrescante de mate, normalmente vendida em praias do Rio de Janeiro e outros lugares do Brasil.

Olodum: escola de tambores afro-brasileiro da cidade de Salvador, Bahia.

Pão de cará: pão macio de sabor único, que se tornou oficialmente patrimônio cultural da cidade de Santos, São Paulo.

Povo indígena: povo originário de determinado país, região ou localidade; nativo.

Regiões do Brasil: Norte, Nordeste, Centro-Oeste, Sudeste e Sul. Cada região é formada por estados com características comuns entre si e, por isso, foram classificados na mesma região.

Tacacá: prato típico da região amazônica, de origem indígena. É muito apreciado em várias localidades da região Norte do Brasil.

Umbuzada: Bebida típica do Nordeste do Brasil, feita com o fruto do umbuzeiro.

Fontes: IBGE, Oxford Languages e Wikipedia.

POR ONDE NINA ANDOU

Avenida Paulista: é uma das avenidas mais importantes de São Paulo, considerada um dos principais centros financeiros da cidade; é também ponto turístico para quem busca cultura e entretenimento.

Bondinho do Pão de Açúcar: teleférico localizado no bairro da Urca, no Rio de Janeiro, que liga a Praia Vermelha ao Morro da Urca e ao Morro do Pão de Açúcar.

Brique da Redenção: atração turística da cidade de Porto Alegre, no Rio Grande do Sul. É uma feira em que expositores vendem artesanato, antiguidades, artes plásticas e alimentos.

Corcovado: um dos morros da cidade do Rio de Janeiro, célebre no Brasil e no mundo pela estátua do Cristo Redentor de 38 metros de altura.

Encontro das águas: fenômeno natural em que as águas de dois rios se encontram; facilmente visto em muitos rios da Amazônia.

Estação das Docas: inicialmente era o Porto de Belém, hoje é um complexo turístico e cultural, na cidade de Belém do Pará.

Galo da Madrugada: tradicional bloco carnavalesco, considerado o maior do mundo, que desfila durante o carnaval do Recife.

Guaíba: em Porto Alegre, é o maior cartão-postal da capital dos gaúchos, conhecido por muitos como o pôr do sol mais bonito do Brasil.

Jardim Botânico do Rio de Janeiro: instituto de pesquisas e jardim botânico, é uma das mais belas e bem preservadas áreas verdes da cidade, com cerca de 6.500 espécies da flora brasileira e estrangeira.

Jardins da orla de Santos: localizados no litoral paulista, formam o maior jardim frontal de praia em extensão do mundo. A orla marítima se estende por sete bairros da cidade de Santos e é uma grande fonte de recursos biológicos e espécies de flores e pássaros.

Ilha de Marajó: ilha costeira situada no estado do Pará, na região Norte do Brasil. Considerada a maior ilha fluviomarítima do planeta.

Lagoa da Pampulha: uma lagoa situada na região da Pampulha, no município de Belo Horizonte, no estado de Minas Gerais.

Lago Paranoá: lago artificial localizado em Brasília, capital do Brasil.

Mercado Municipal Paulistano: também conhecido como Mercadão, é um importante mercado público localizado no Centro Histórico da cidade de São Paulo, especializado na comercialização de frutas, verduras, cereais, carnes, temperos e outros produtos alimentícios.

Muretas de Santos: são os maiores símbolos da cidade, presentes na orla da praia, nos canais e também nos souvenirs santistas.

Palácio da Alvorada: designado como a residência oficial do presidente do Brasil, em Brasília, Distrito Federal.

Pelourinho: popularmente chamado de Pelô, é um bairro no Centro Histórico da cidade de Salvador, considerado Patrimônio da Humanidade pela Unesco, além de Patrimônio Histórico Brasileiro.

Praia do Porto da Barra: situada no bairro da Barra, em Salvador, Bahia, essa praia possui uma pequena extensão de areia e uma pequena enseada de ondas calmas, de onde se tem uma excelente vista da Ilha de Itaparica e de onde pode-se apreciar o pôr do sol — um dos poucos lugares continentais do Brasil onde o poente ocorre sobre o mar.

Teatro Amazonas: um dos mais importantes teatros do Brasil e o principal cartão-postal da cidade de Manaus.

Torre de TV de Brasília: é uma torre de transmissão radiofônica e televisiva construída em Brasília com 224 metros de altura.

Fontes: IBGE e Wikipedia.

Para mães, pais e cuidadores

Quando buscamos a definição de "despedida", encontramos, entre outras, a seguinte: ato ou efeito de despedir(-se); partida, saída, separação, adeus.

Esse vazio que fica quando dizemos adeus às pessoas que amamos traz angústia e tristeza. E não tem como evitar: quando moramos longe, esse momento sempre vai chegar e ele é mesmo bem dolorido.

Assim, não conseguiremos evitar que as crianças sofram, mas podemos ajudá-las a passar por isso de uma forma mais leve e acolhedora. Crianças gostam e precisam de previsibilidade para lidar melhor com as situações. Portanto, quando a hora da despedida estiver chegando perto, é importante comunicar à criança sobre a situação. Mesmo que ela ainda seja pequena e não tenha muita noção do tempo, conte a ela que, em alguns dias, vocês irão embora e ela precisará se despedir. Procure relembrá-la disso a cada dia durante os últimos dias de estadia. Dessa forma, ajudamos as crianças a se acostumarem aos poucos com a ideia da partida.

Você também pode fazer com a criança uma "caixinha de tesouros das pessoas amadas". Para isso, oriente a criança a pedir a cada pessoa amada que dê uma coisa sua para levar na caixinha de tesouros. Crianças pequenas precisam de coisas concretas, e os objetos as ajudarão a deixar a situação e os sentimentos mais palpáveis

Outra ideia legal é pedir a cada pessoa amada, da qual a criança vai se despedir, para fazer um "recadinho de amor". Assim, juntos, ainda no voo de volta para casa, após o adeus, vocês poderão ler os recados cheios de amor e lembranças boas!

Essas são apenas algumas ideias a fim de se preparar para esse momento doloroso, que é se despedir de alguém. Contudo, é importante entender que as emoções, por mais difíceis que sejam, devem ser encaradas pelos adultos como parte natural do crescimento emocional e afetivo da criança. E, para lidar com a tristeza desse momento, precisamos antes de tudo permitir que a criança a sinta e que expresse o que está sentindo, e nós, claro, precisamos reconhecer e acolher o sentimento da criança com carinho e um abraço bem gostoso.

Carol Barbi
@carolbarbi
Mãe, imigrante e educadora parental

Renata Formoso é brasileira, comunicadora por formação e amante da língua portuguesa. Assim como Nina, ela também ama o Brasil. Nasceu e cresceu em Santos, no litoral de São Paulo, e foi seguindo seus sonhos até parar em Londres, na Inglaterra, onde se tornou mãe do Noah — sua maior inspiração para se tornar escritora. Publicou seu primeiro livro Eu Também Falo Português, em 2020, no qual deu vida à personagem Nina. Juntas, seguem incentivando famílias pelo mundo a manter o idioma do coração. Acompanhe o seu trabalho no instagram @nocaminhoeuteexplico

Carolina Coroa veio ao mundo em Belém do Pará, mas não ficou por lá. Comunicadora e designer de moda por formação, já morou em São Paulo, em Berlim e na Irlanda. Tornou-se mãe do Hugo e ilustradora ao mesmo tempo. Entre idas e vindas, não aprendeu a falar alemão, mas aprendeu a andar de bicicleta depois dos trinta e finalmente aceitou que o desenho é o lugar mágico onde quer estar. Novamente de mudança, agora para Londres, além de ilustradora de livros, trabalha com animação infantil, muitas vezes enquanto viaja pelo universo na nave espacial do Hugo.